CIRKUSOVÍ PSI ROSŤA A ROLINKA

Cirkusoví psi Rosťa a Rolinka

Napsal *Tuula Pere*
Ilustrace *Francesco Orazzini*
Upravil *Peter Stone*
Do českého jazyka přeložil *Michal Cáp*

ISBN 978-952-325-094-9 (Hardcover)
ISBN 978-952-325-570-8 (Softcover)
ISBN 978-952-325-615-6 (ePub)
První vydání

Copyright © 2021 Wickwick Ltd

Vydal Wickwick Ltd v roce 2021
Helsinky, Finsko

Circus Dogs Roscoe and Rolly, Czech Translation

Story by *Tuula Pere*
Illustrations by *Francesco Orazzini*
Layout by *Peter Stone*
Czech translation by *Michal Cáp*

ISBN 978-952-325-094-9 (Hardcover)
ISBN 978-952-325-570-8 (Softcover)
ISBN 978-952-325-615-6 (ePub)
First edition

Copyright © 2021 Wickwick Ltd

Published 2021 by Wickwick Ltd
Helsinki, Finland

Originally published in Finland by Wickwick Ltd in 2015
Finnish "Sirkuskoirat Roope ja Rops", ISBN 978-952-325-058-1 (Hardcover), ISBN 978-952-325-558-6 (ePub)
English "Circus Dogs Roscoe and Rolly", ISBN 978-952-325-057-4 (Hardcover), ISBN 978-952-325-557-9 (ePub)

Wickwick books are available at special discounts when purchased in quantity for premiums and promotions as well as fundraising or educational use. Special editions can also be created to specification. For details, contact specialsales@wickwick.fi.

Cirkusoví psi Rosťa a Rolinka

Tuula Pere • Francesco Orazzini

WickWick
Children's Books from the Heart

Starý cirkusový pes Rosťa nahlížel zpoza opony do osvětlené manéže. Hlediště bylo přeplněné rozjařeným davem diváků, kteří netrpělivě očekávali začátek představení.

Měl radost, že bylo toho večera v hledišti velmi mnoho dětských diváků. Starý pes měl nejradši, když mohl předvádět své umění právě těm nejmenším. I přes svůj věk byl pořád ještě do svého vystupování velmi zapálený. A ještě lepší a zábavnější teď bylo, že měl malou učednici, štěněčí slečnu jménem Rolinka.

Rolinka tu teď stála připravená též, čmuchala vzduch naplněný vzrušujícími vůněmi. Její malý ocásek se vrtěl sem a tam.

3

Rosťa a Rolinka byli skvělé duo. Postupně si rozdělili role ve vystoupení. Rolinka, která byla energická a neposedná, si vzala na starosti triky, které vyžadovaly obratnost. Nyní to byla ona, kdo balancoval na vysokých stoličkách s míči a lehounce jako pírko proskakoval hořícími obručemi.

Starý Rosťa byl rád, že se mohl soustředit na klidnější kousky, zejména takové, u kterých mohl pohodlně sedět na polštáři a jemným štěkáním odpovídat na otázky. Rosťa měl pořád ještě dobrou hlavu pro počítání čísel.

Rosťa i Rolinka byli oba čistokrevní voříšci, bez žádných slavných rodokmenů a ocenění. Oba však měli něco mnohem cennějšího – zlaté srdce. Šířili kolem sebe atmosféru tak milou, že všechny kousky, které předváděli, přinášely dětským divákům jen a jen potěšení. A to bylo na oplátku oceňováno panem ředitelem, protože spokojené obecenstvo znamenalo i více peněz v cirkusové kase.

Rosťa věděl, že pan ředitel je milý člověk, ale zároveň také trochu držgrešle. Každý člen cirkusu si svou výsluhu musel tvrdě zasloužit.

„Nikdo dnes nedostává zaplaceno za nic," říkával pan ředitel často.

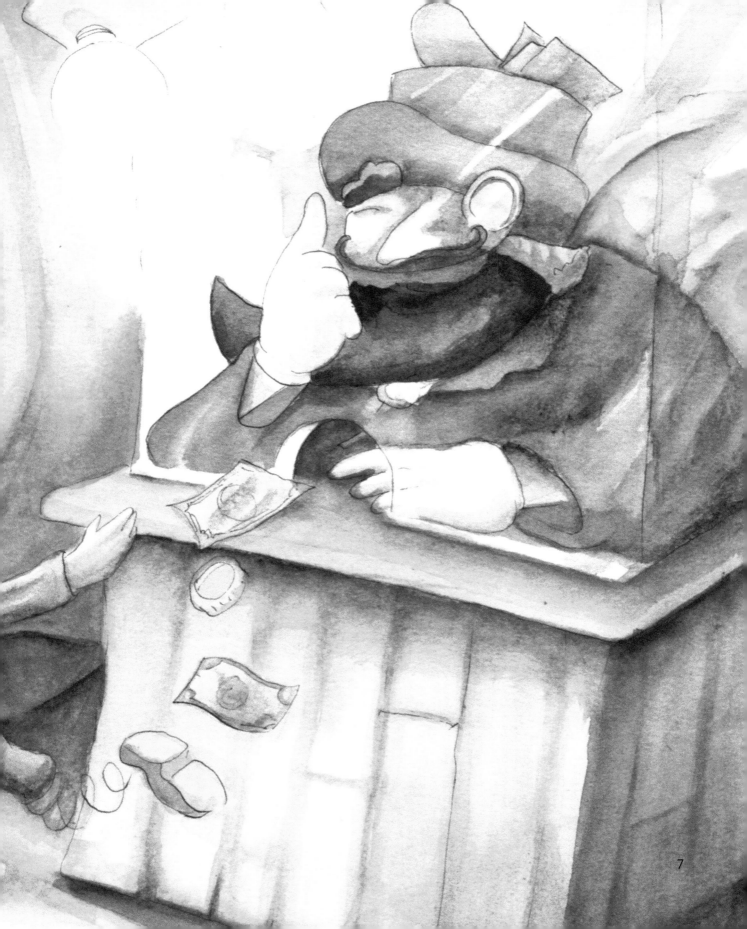

D ny míjely a tak se jaro postupně prohřálo do léta a to potom pak zbarvilo v podzim. Rosťa měl každým dnem více a více šedivých chlupů, jeho kožich už nebyl tak hustý a ani zuby nebyly tak ostré jako dříve.

Nic z toho by Rosťovi nevadilo, ale všiml si, že mu navíc začíná slábnout zrak a paměť. Už nebyl schopný řešit počtářské příklady tak rychle jako za svých nejlepších dní. Rozesmutnělý z toho všeho, zůstával občas skrčený pod dekou v zákulisí a topil se v černých myšlenkách.

Starý psí počtář byl vyděšený. Co bude, u pytle blech, dělat, jestli už nebude schopný vystupovat v cirkuse? Patřil sem mezi děti a nikam jinam.

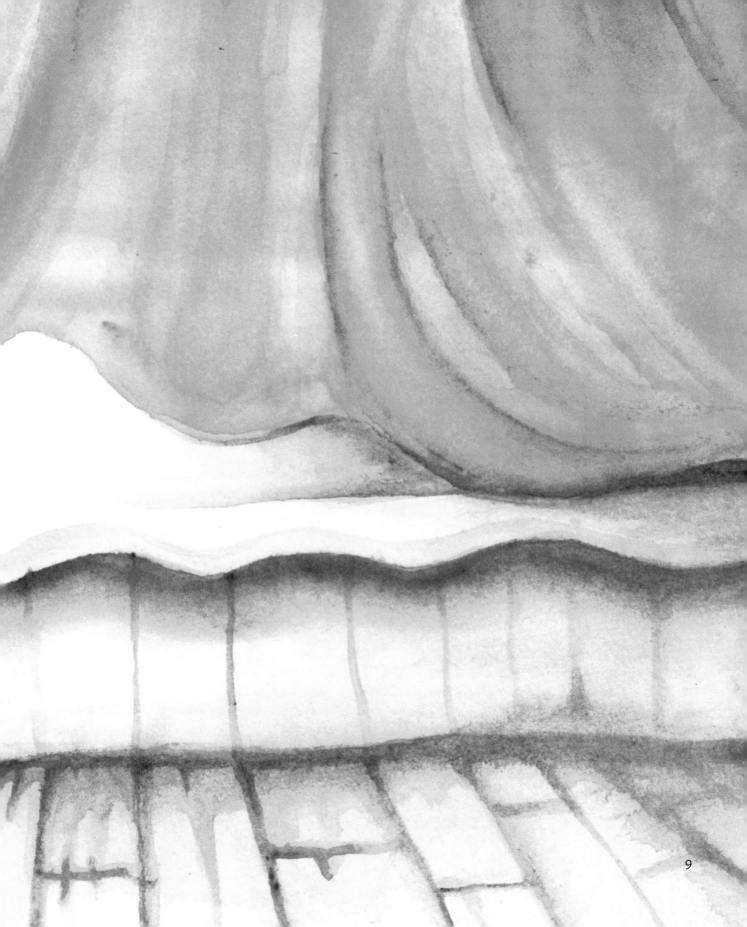

Naštěstí měl Rosťa k ruce to živé štěně Rolinku. Byla na nejlepší cestě stát se skvělou asistentkou během představení. Přesto však potřebovala malá Rolinka ještě hodně podpory od svého zkušeného partnera.

Rolinka byla od přírody velmi nadaná a učila se velice rychle. Ale občas byste na ní podle pozice uší a ocasu přece jenom ještě poznali, že je nervózní a bojí se předstoupit před dav lidí. Kdykoliv se to stalo, pomoc a rada od starého a vždy klidného Rosti přišla velmi vhod.

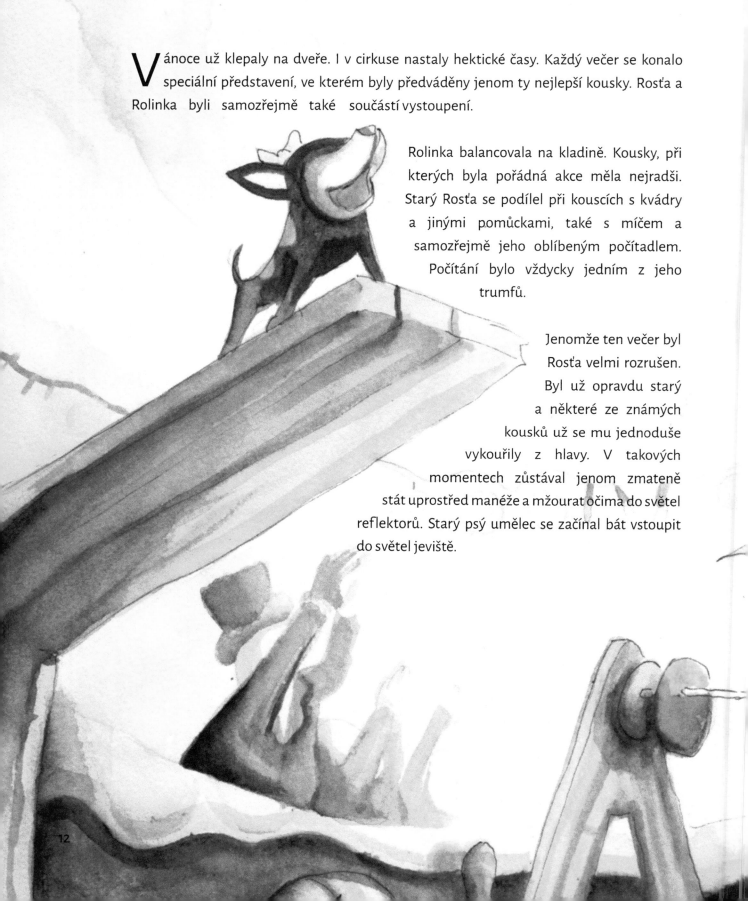

Vánoce už klepaly na dveře. I v cirkuse nastaly hektické časy. Každý večer se konalo speciální představení, ve kterém byly předváděny jenom ty nejlepší kousky. Rosťa a Rolinka byli samozřejmě také součástí vystoupení.

Rolinka balancovala na kladině. Kousky, při kterých byla pořádná akce měla nejradši. Starý Rosťa se podílel při kouscích s kvádry a jinými pomůckami, také s míčem a samozřejmě jeho oblíbeným počítadlem. Počítání bylo vždycky jedním z jeho trumfů.

Jenomže ten večer byl Rosťa velmi rozrušen. Byl už opravdu starý a některé ze známých kousků už se mu jednoduše vykouřily z hlavy. V takových momentech zůstával jenom zmateně stát uprostřed manéže a mžourat očima do světel reflektorů. Starý psý umělec se začínal bát vstoupit do světel jeviště.

13

A teď přišla na Rosťu opět řada. Začal provádět svůj mistrovský kousek, počítání. Obvykle o číslech nemusel vůbec přemýšlet. Ale tentokrát se stalo něco podivného.

Trenér psů totiž měnil tabulky s příklady před Rosťovýma očima příliš rychle. S prvními se vypořádal snadno. Rosťa podával správné odpovědi štěkáním, anebo také přinášením čísel ze stojanu. Diváci ho pokaždé odměňovali obrovským potleskem. Ale pak se najednou všechno pokazilo.

Rosťova hlava byla z toho všeho jak na kolotoči, nové příklady se v ní míhaly rychle a lehce, ale správné odpovědi bylo přetěžké hledat. Nakonec Rosťa celý zahanbený utekl z manéže pryč, zanechávaje Rolinku předvádět další kousky samotnou.

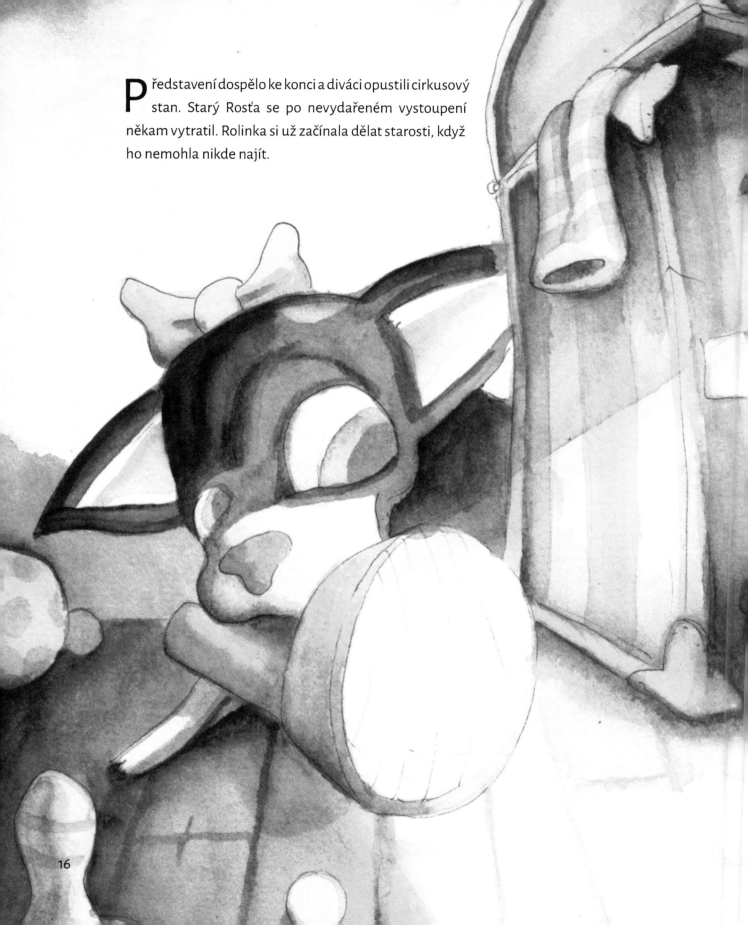

Představení dospělo ke konci a diváci opustili cirkusový stan. Starý Rosťa se po nevydařeném vystoupení někam vytratil. Rolinka si už začínala dělat starosti, když ho nemohla nikde najít.

16

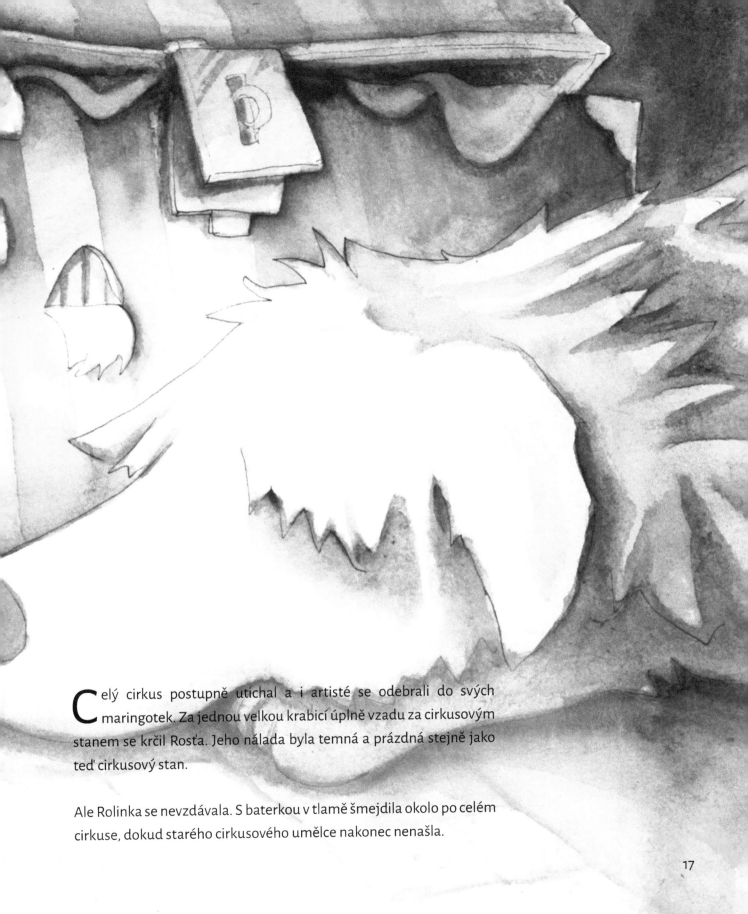

Celý cirkus postupně utichal a i artisté se odebrali do svých maringotek. Za jednou velkou krabicí úplně vzadu za cirkusovým stanem se krčil Rosťa. Jeho nálada byla temná a prázdná stejně jako teď cirkusový stan.

Ale Rolinka se nevzdávala. S baterkou v tlamě šmejdila okolo po celém cirkuse, dokud starého cirkusového umělce nakonec nenašla.

Rolinka přemluvila svého zdrceného kamaráda, aby se společně odebrali odpočívat do psího kotce. Tam potom zůstali za světla baterky vzhůru dlouho do noci, a přemýšleli jak by se dal Rosťův problém vyřešit.

„Už se nenaučím žádné nové kousky a vypadá to, že už si nepamatuju ani ty staré," vzdychal Rosťa nešťastně.

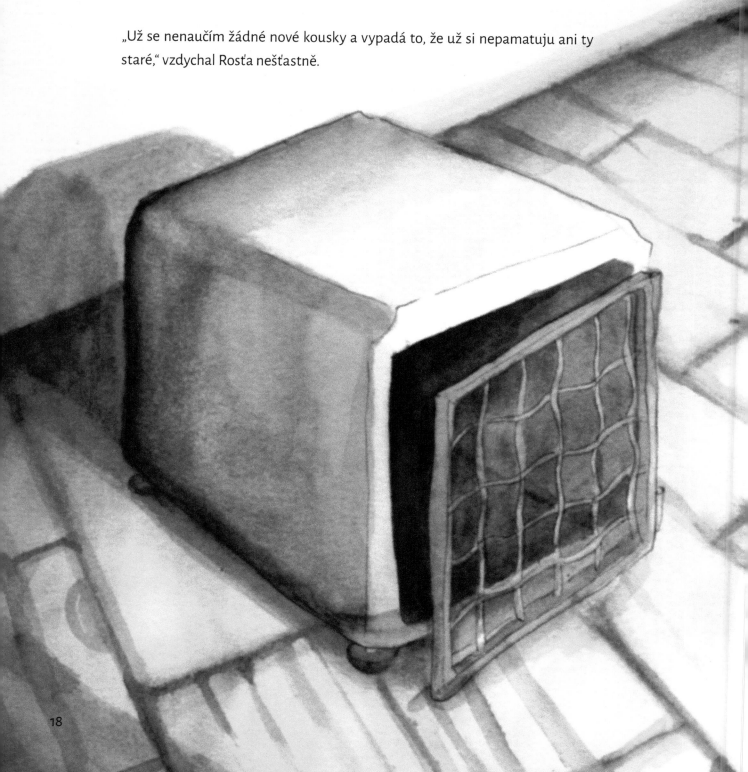

„Nikdy se nevzdávej," zkoušela ho Rolinka utěšit , „to jsi mě učil ty sám."

"Já vím, já vím. Ale co chceš dělat, když na tebe dolehne věk a tvoje hlava je
už příliš unavená, aby pracovala jak má?" řekl starý pes sklíčeně.

Řešení bylo stále někde v nedohlednu, když na oba přátele dopadla únava a
přerušila jejich dumání. Za chvíli už se z psího kotce, stále matně osvíceného
světlem baterky, ozývalo jenom tiché chrápání. Najednou se dveře kotce
tiše otevřely. Ředitel nahlédl dovnitř a zamyšleně si pohladil plnovous.

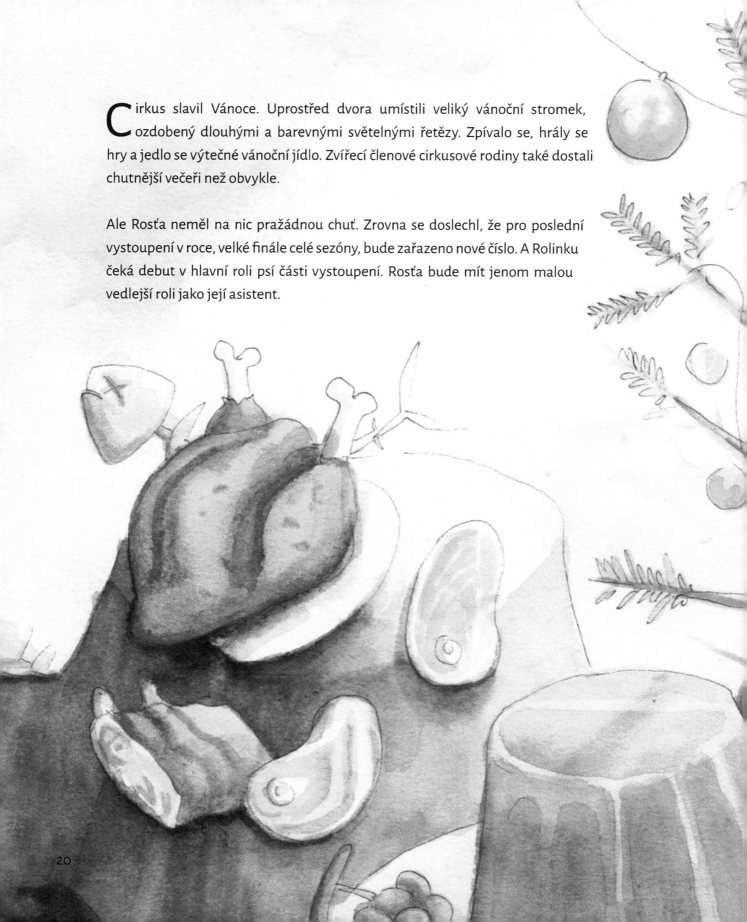

Cirkus slavil Vánoce. Uprostřed dvora umístili veliký vánoční stromek, ozdobený dlouhými a barevnými světelnými řetězy. Zpívalo se, hrály se hry a jedlo se výtečné vánoční jídlo. Zvířecí členové cirkusové rodiny také dostali chutnější večeři než obvykle.

Ale Rosťa neměl na nic pražádnou chuť. Zrovna se doslechl, že pro poslední vystoupení v roce, velké finále celé sezóny, bude zařazeno nové číslo. A Rolinku čeká debut v hlavní roli psí části vystoupení. Rosťa bude mít jenom malou vedlejší roli jako její asistent.

Nebylo to tak, že by Rosťa své kamarádce nepřál úspěch. Dobře věděl, že je to pro jeho mladou partnerku obrovská příležitost. Co ale starého cirkusového psa trápilo bylo, že jeho dny kdy byl miláčkem dětí v publiku už končí.

Závěrečné představení sezóny bylo velkolepější, než kdykoliv předtím. Výkřiky údivu a radosti plnily vzduch uvnitř cirkusového stanu. Děti nadšeně křičely a tleskaly. Dokonce i dospělí se cítili opět mladí, když mohli obdivovat úžasné kousky artistů.

Rolinka, nová hvězda psího čísla, zářila ve světlech manéže. To mladé štěně si užívalo každičký okamžik. Starý Rosťa s uspokojením sledoval počínání jeho učednice. Ta svoje představení doslova protančila. Bylo jasné, že je připravená a že nastal její čas.

Ještě než ale představení skončilo, stalo se něco nečekaného. Vyděšená žena najednou vběhla do manéže, křičíc, že musí nutně mluvit s ředitelem.

ublikum ztichlo jako zařezané. Ředitel si odkašlal a sáhl po mikrofonu.

„Drazí přátelé. Potřebujeme teď pomoc vás všech," oznámil vážným hlasem. „Dcera této paní se ztratila. Všichni bychom teď měli pomoc s hledáním."

Cirkusový stan naplnil povyk a vzrušené hlasy. Diváci se rozdělili a prohledávali každý kout. Dívali se dopředu a dozadu, tady a tam, uvnitř i venku. Všichni se snažili jak jen mohli, ale po dítěti jako by se zem slehla.

Vyděšená maminka prošla okolí křížem krážem a oběhla několikrát celý stan. Nakonec se rozplakala a v přívalu slz tiskla k tváři plyšového králíka, který byl dcerčinou oblíbenou hračkou.

Starý Rosťa se tiše přiblížil k plačící ženě. Opatrně položil hlavu na její koleno a nepohnul se několik dlouhých minut. Žena tiše seděla a hladila Rosťu po zádech.

26

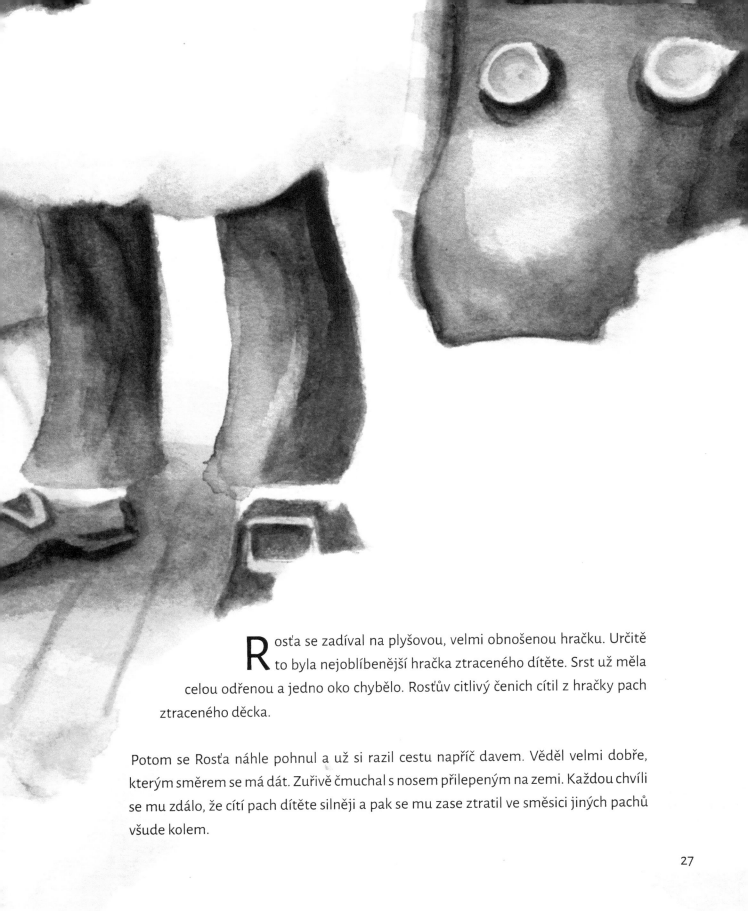

Rosťa se zadíval na plyšovou, velmi obnošenou hračku. Určitě to byla nejoblíbenější hračka ztraceného dítěte. Srst už měla celou odřenou a jedno oko chybělo. Rosťův citlivý čenich cítil z hračky pach ztraceného děcka.

Potom se Rosťa náhle pohnul a už si razil cestu napříč davem. Věděl velmi dobře, kterým směrem se má dát. Zuřivě čmuchal s nosem přilepeným na zemi. Každou chvíli se mu zdálo, že cítí pach dítěte silněji a pak se mu zase ztratil ve směsici jiných pachů všude kolem.

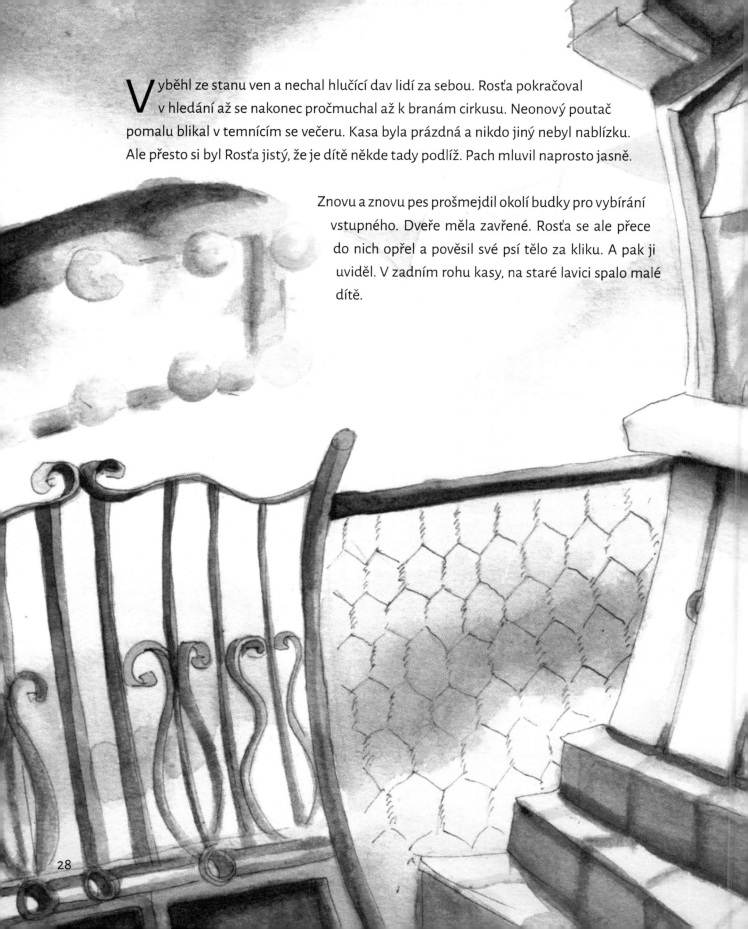

Vyběhl ze stanu ven a nechal hlučící dav lidí za sebou. Rosťa pokračoval v hledání až se nakonec pročmuchal až k branám cirkusu. Neonový poutač pomalu blikal v temnícím se večeru. Kasa byla prázdná a nikdo jiný nebyl nablízku. Ale přesto si byl Rosťa jistý, že je dítě někde tady podlíž. Pach mluvil naprosto jasně.

Znovu a znovu pes prošmejdil okolí budky pro vybírání vstupného. Dveře měla zavřené. Rosťa se ale přece do nich opřel a pověsil své psí tělo za kliku. A pak ji uviděl. V zadním rohu kasy, na staré lavici spalo malé dítě.

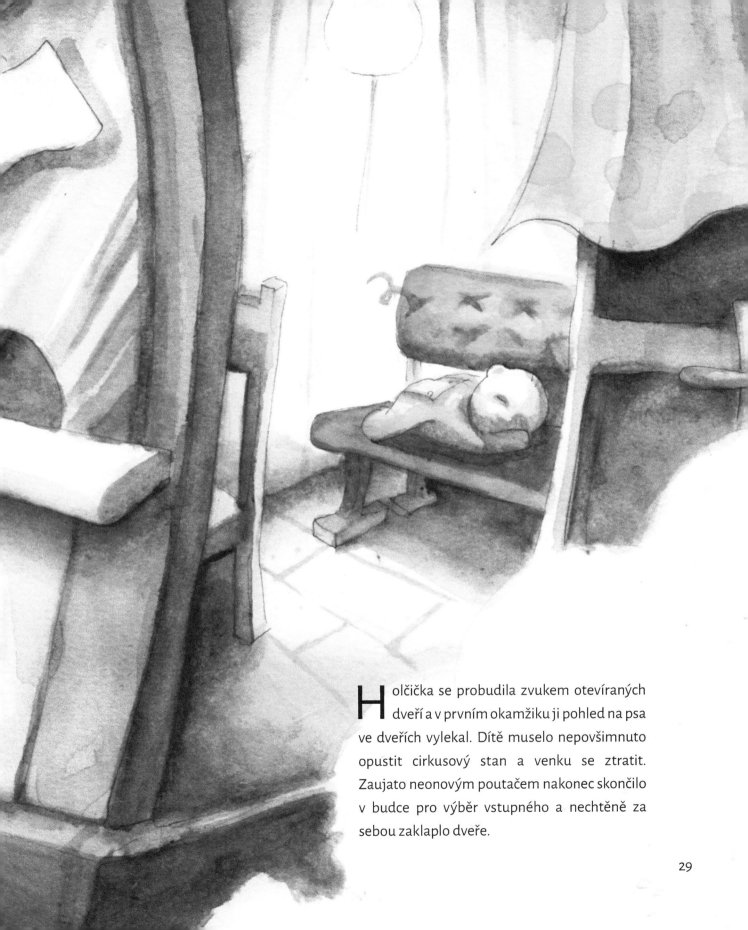

Holčička se probudila zvukem otevíraných dveří a v prvním okamžiku ji pohled na psa ve dveřích vylekal. Dítě muselo nepovšimnuto opustit cirkusový stan a venku se ztratit. Zaujato neonovým poutačem nakonec skončilo v budce pro výběr vstupného a nechtěně za sebou zaklaplo dveře.

Dobrotivý pes Rosťa se pokusil dítě uklidnit. Všiml si, že prodavač vstupenek nechal na věšáku svůj kabát. Stáhl jej a jemně přehodil přes malého utečence. Potom vyběhl ve z kasy a začal hlasitě štěkat. A nepřestal dokud si ho hledající lidé nevšimli.

Holčiččina matka a pan ředitel byli první, kdo na jeho volání dorazil. Radost a úleva byly obrovské, když matka sevřela své zatoulané dítě v náručí. Rosťa měl také radost a z povzdálí vše sledoval.

„Děkuji Ti, věrný psí kamaráde," vzdychla žena a poplácala Rosťu po plecích. „Jsi opravdový hrdina. Cirkus na Tebe může být právem hrdý.

"To je pravda," odpověděl ředitel spokojeně. „Můžu Vás ujistit, že Rosťa, náš pes hrdina, bude mít vždycky v našem cirkuse svoje místo. Děti ho potřebují."

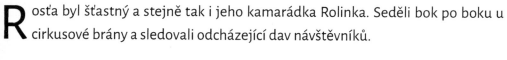

R osťa byl šťastný a stejně tak i jeho kamarádka Rolinka. Seděli bok po boku u cirkusové brány a sledovali odcházející dav návštěvníků.

Oba měli obrovskou radost, že mohou pokračovat ve společném vystupování v cirkuse. Rosťa přece mohl předvádět spoustu kousků. S tak citlivě vyvinutým čichem jako měl, mohl řešit spoustu všemožných problémů a dále udivovat davy.

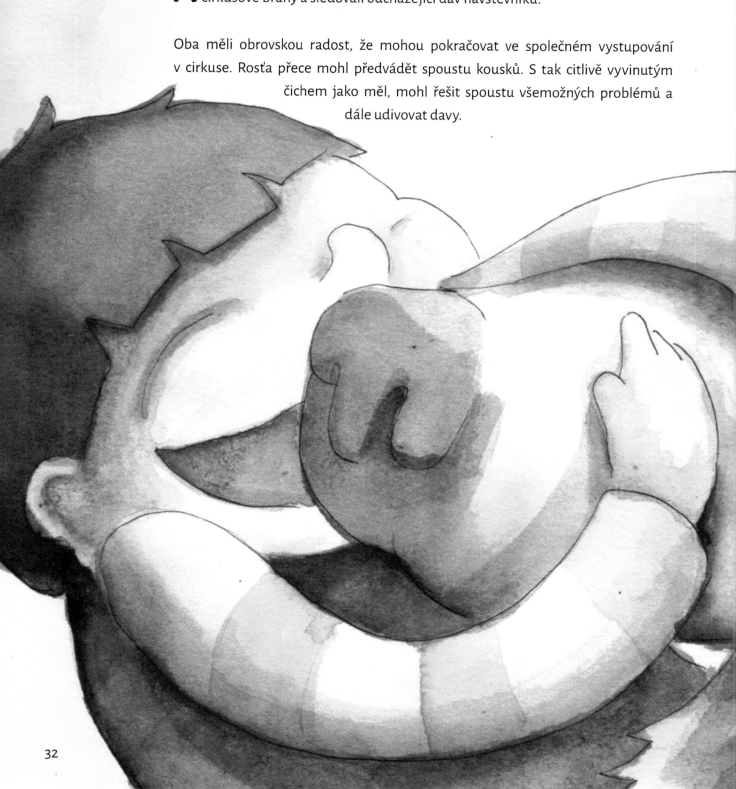

P okročilý věk sice oslabil Rosťův zrak, ale jeho čich byl o to citlivější. Především vůně dětských diváků byla něčím, co by nikdy v životě nezapomněl. Bez ohledu na to jak starý mohl být.

33

CPSIA information can be obtained
at www.ICGtesting.com
Printed in the USA
BVHW021428070421
604414BV00008B/153